BONNE NOUVELLE !

A1.1

1

Méthode de français

didier

Français Langue Étrangère

Tableau des contenus

		COMMUNICATION ●	GRAMMAIRE ●	VOCABULAIRE ▲
Unité 0	p. 6-9	Communiquer en classe Compter jusqu'à 10		L'alphabet Les nombres de 1 à 10
Unité 1	p. 10-19 Révision p. 18 Évaluation p. 19	Saluer et prendre congé Dire son prénom et son âge	• *Comment tu t'appelles ?* → s'appeler* • *Quel âge tu as ?* → avoir* * je, tu, il, elle	Les mots transparents Les couleurs (1) Les notes et les instruments de musique
Unité 2	p. 20-29 Révision p. 28 Évaluation p. 29	Parler de son matériel scolaire : identifier un objet, qualifier un objet Poser des questions Compter jusqu'à 30	• *Qu'est-ce que c'est ?* *Qu'est-ce qu'il y a… ?* → un / une / des • *De quelle couleur est… ?* → vert / verte	Le matériel scolaire Les couleurs (2) Les formes Les nombres de 11 à 30
Magazine p. 30-31		À l'école en France		
Unité 3	p. 32-41 Révision p. 40 Évaluation p. 41	Dire la date et parler des saisons Exprimer ses goûts	• *Qu'est-ce que tu aimes ?* *Qu'est-ce que tu n'aimes pas ?* → le / la / les / l' → aimer* • *C'est quand… ?*	Les jours de la semaine, les mois et les saisons Les loisirs Les animaux et les milieux naturels
Unité 4	p. 42-51 Révision p. 50 Évaluation p. 51	Parler de sa famille Situer dans l'espace Dire le temps qu'il fait	• *C'est qui ?* → mon, ton, son / ma, ta, sa • *Où est… ?* → être* → prépositions de lieu	La famille Le cirque Le temps qu'il fait Quelques villes de France
Magazine p. 52-53		Je parle français, il parle français, elle parle français !		
Unité 5	p. 54-63 Révision p. 62 Évaluation p. 63	Décrire une personne Parler de moyens de transport	• *Comment il / elle est ?* → genre et nombre des noms et adjectifs → être / avoir	Les parties du corps Les moyens de transport
Unité 6	p. 64-73 Révision p. 72 Évaluation p. 73	Décrire ses vêtements Parler de ses activités sportives Donner des ordres	• *Qu'est-ce que tu fais ?* *Quel sport tu fais ?* → faire* du, de la, de l' • L'impératif	Les vêtements Les sports
Magazine p. 74-75		Le tour de France des sports		

	Organisation de la classe 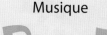		C. sociales et civiques
Le son [R] comme dans « bravo ! »	Musique 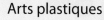	Créer l'orchestre de la classe	C. numérique Sensibilité et expression culturelles **Apprendre à apprendre**
Le son [v] comme dans « voilà ! »	Arts plastiques 	Créer une œuvre à la manière de Piet Mondrian	C. mathématiques Sensibilité et expression culturelles **Apprendre à apprendre**
Le son [ʒ] comme dans « bonjour ! »	Sciences naturelles 	Faire une fiche sur son animal préféré	C. sociales et civiques C. de base en sciences et technologies **Apprendre à apprendre**
Le son [ɛ] comme dans « merci ! »	Géographie 	Fabriquer un arc-en-ciel en 3D	C. de base en sciences et technologies Sensibilité et expression culturelles **Apprendre à apprendre**
Le son [ʃ] comme dans « chapeau ! »	Histoire 	Créer un super-héros ou une super-héroïne	C. de base en sciences et technologies C. sociales et civiques **Apprendre à apprendre**
Le son [y] comme dans « zut ! »	Sport 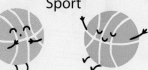	Faire une fiche sur son sportif / sa sportive préféré(e)	C. sociales et civiques Esprit d'initiative et d'entreprise **Apprendre à apprendre**

Dictionnaire visuel : p. 83-92

Bienvenue !

Leçon 1
Découverte orale

Objectifs de l'unité →

Mise en situation et rebrassage →

← Stratégies d'observation pour préparer la compréhension orale

← Micro-dialogue

Leçon 2
Lexique et phonétique

Contexte →

Stratégie →

← Jeux de mémorisation et réemploi

← Initiation à la prononciation et l'orthographe

Leçon 3
Grammaire et communication

Mise en scène des actes de parole →

← À partir de la BD, approche communicative des structures

← Pratiques communicatives

Leçon 4
Sensibilisation interdisciplinaire

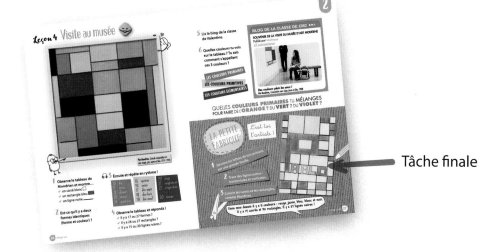

Tâche finale

Révision et évaluation

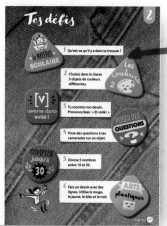

Jeux pour réviser

Évaluation dynamique sous forme de défis à relever

MAGAZINE
Sensibilisation socioculturelle

Documents authentiques

Lecture et écoute actives

Valeurs citoyennes

Les personnages

Moi, c'est Anaïs !

Moi, c'est Thomas !

Et moi, c'est Cap !

Écoute mes conseils pour apprendre !

Avec moi, tout est possible !

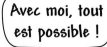

1 Écoute et montre.

2 Joue les scènes avec tes camarades !

Les as de la classe

L'AS DE LA DATE

L'AS DE LA DISTRIBUTION

L'AS DU MATÉRIEL

L'AS DE LA DISCIPLINE

 1 Écoute et observe.

 **2 CHANSON** Écoute et chante les nombres !

3 JEU Devine le nombre !

 **4 CHANSON** Écoute et chante l'alphabet !

5 JEU Compte les points des mots. Qui a le plus de points ?

Unité 1

Dans l'unité 1, tu vas...

Découvrir et dire des mots faciles

Nommer les couleurs

Prononcer [R] comme dans bravo !

Saluer, te présenter et dire ton âge

Faire de la musique

TÂCHE Créer l'orchestre de la classe

RÉVISION Jouer en français !

ÉVALUATION

Leçon 1 Les Juniors en concert !

1 Observe et montre…
- la guitare
- le piano
- la batterie

2 Écoute et montre qui parle.

3 Réécoute et choisis la bonne réponse.

quiz ?

Le présentateur dit…
- Bonjour !
- Salut !

La fille s'appelle…
- Léa.
- Lili.

Le garçon s'appelle…
- Thomas.
- Théo.

Leçon 2 La bibliothèque de Victor

1 Observe la tablette de Victor et écoute le titre des livres.

| Store | Collections | Livres | Éditer |

1. Les dinosaures
2. Les pyramides
3. Le Chocolat
4. La guitare
5. Les pirates
6. Le judo
7. Les détectives
8. La musique
9. La science
10. La France

Tu comprends les mots ? Facile !
Compare avec ta langue et observe les photos.

2 Écoute. Répète le titre et dis le numéro du livre.

3 Dis un titre, un(e) camarade montre le livre.

Compare avec ta langue !

| le | la | les |
| chocolat | musique | pirates pyramides |

4 Tu dis *le, la* et *les*, et ton / ta camarade complète le titre.
Exemple :

le... chocolat

🎧10 **5** Écoute et observe la playlist de Victor.

1	Danse !
2	Chocolat
3	1, 2, 3 !
4	Super Lola
5	Les pirates
6	Chante !
7	R, R, Rn'B
8	Animal
9	Je t'aime
10	Écoute !

🎧11 **6** Écoute le numéro. C'est quelle chanson ?

🎧12 **7** Écoute la chanson. C'est quel numéro ?

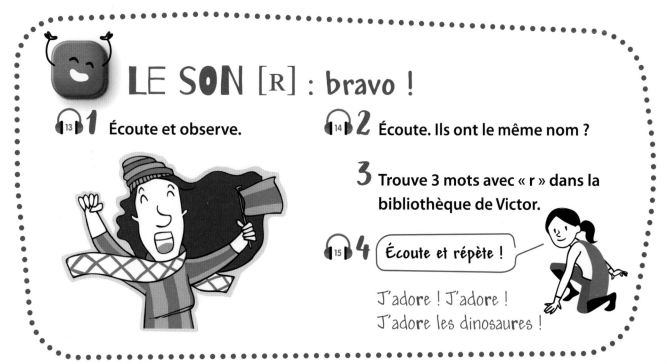

LE SON [R] : bravo !

🎧13 **1** Écoute et observe.

🎧14 **2** Écoute. Ils ont le même nom ?

3 Trouve 3 mots avec « r » dans la bibliothèque de Victor.

🎧15 **4** Écoute et répète !

J'adore ! J'adore !
J'adore les dinosaures !

Leçon 3 — Salut ! Comment tu t'appelles ?

1 Cherche dans la BD les prénoms de deux garçons et de deux filles.

Il s'appelle…   *Elle s'appelle…*   *Il s'appelle…*   *Elle s'appelle…*

Facile ! Regarde la vignette 3 !

2 🎮 **Les présentations. Vrai ou faux ?**

Comment tu t'appelles ?

Je m'appelle Lucas.

Faux ! Tu t'appelles José.

🎧 17 Comment tu t'appelles ?
– Je m'appelle Anaïs, et toi ?
– Je m'appelle Thomas.

> je m'appelle
> tu t'appelles
> il s'appelle
> elle s'appelle

🎧 18 Quel âge tu as ?
– J'ai onze (11) ans, et toi ?
– J'ai dix (10) ans.

> j'ai
> tu as
> il a
> elle a

3 Quel âge a Anaïs ? et Victor ?
et Nadia ? et Thomas ?
Anaïs a…

4 Présente-toi !

Je m'appelle Julia.
J'ai dix ans. Mon livre
préféré est *Les pirates.*

Leçon 4 En musique !

19 1 Écoute les notes et observe les bouteilles.

do   ré   mi   fa   sol   la   si   do

rouge   orange   jaune   vert   bleu   violet   rose   rouge

20 2 Écoute le nom de la couleur et montre. C'est quelle note ?

21 3 Écoute la note et dis la couleur.

22 4 CHANSON Observe la partition. Écoute et chante.

Bon - jour, co - mment tu t'a - ppelles ?

Je m'a - ppelle   Ma - ri - na

5 Écoute et observe les instruments de musique.

la batterie

le piano

l'accordéon

la trompette

la guitare

l'harmonica

la flûte

Attention !
le + a, e, i, o, u
ou h → l'

6 Écoute. C'est quel instrument ?

LA PETITE FABRIQUE

Crée l'orchestre de la classe !

Salut ! Je m'appelle Lola ! J'ai 10 ans ! Mon instrument est la guitare !

1 Dessine ou découpe un instrument. Ajoute une photo de toi.

2 Toute la classe prépare le décor sur un grand carton.

3 Installe ton instrument et présente-toi.

Joue en français !

Toute la classe participe. Lance le dé, joue puis passe la main à ton / ta camarade !

DÉPART

1 Imite un instrument de musique !

 2 Écoute. Vrai ou faux ?

Ludo 8 ans

3 Compte 10 secondes. Ton/ta camarade vérifie.

4 Recule de trois cases. −3

5 Dis un mot avec le son [R] comme dans *pirate*.

7 Relance le dé !

6 Retrouve les mots.

SA LUT JOUR BON

8 Termine la série. Dis la couleur.

9 Avance d'une case. +1

10 Tu es le robot. Présente-toi et dis ton âge !

R5S4 5 ans

11 Recule de trois cases. −3

12 Chante en français !

Tes défis

1 Dis en français les lettres du mot PIRATE !

2 Dis 3 couleurs.

3 Félicite 3 camarades, avec des intonations différentes. « Bravo ! Bravo ! Bravo ! »

4 Salue un(e) camarade et présente-toi. Dis ton âge.

5 Compte de 1 à 10 en moins de 10 secondes.

6 Imite un instrument de musique et dis son nom !

Unité 2

Dans l'unité 2,
tu vas...

Parler de ton
matériel scolaire

Dire la couleur
d'un objet

Prononcer [v]
comme dans **voilà** !

Poser des questions

Compter jusqu'à 30

Parler d'un tableau,
de peinture

 **TÂCHE** Créer une
œuvre à la manière
de Mondrian

RÉVISION Jouer
en français !

ÉVALUATION

Leçon 1 Robot ou pirate ?

1 Observe et montre…
- ✓ deux professeurs
- ✓ une sculpture
- ✓ la représentation d'un piano

🎧 26 **2** Écoute et montre qui parle.

🎧 27 **3** Réécoute et choisis la bonne réponse.

quiz ━━━━━━━ ?

La classe visite…
- ● une bibliothèque. ● un musée.

Qu'est-ce que c'est ?
- ● Un robot. ● Un pirate.

Leçon 2 Mon matériel

1 Observe, écoute et répète les mots. Montre les objets !

Quel bazar !

1 UN TAILLE-CRAYON

2 UN CRAYON

3 UN STYLO

UN CRAYON DE COULEUR

4

5 UN BÂTON DE COLLE

6 UNE RÈGLE

7 UN FEUTRE

8 UN CAHIER

9 UNE FEUILLE DE PAPIER

10 DES CISEAUX

11 UN SAC À DOS

UN LIVRE

14

12 UNE TROUSSE

13 UN CLASSEUR

UNE GOMME

15

Pour mémoriser, recopie les mots dans ton cahier. Fais 3 listes !

un	une	des
stylo	*règle*	*ciseaux*

2 jeu Joue avec tes camarades !

Un stylo... ?

Bravo !

3 Charlotte range son matériel. Observe. Qu'est-ce qu'il y a dans…

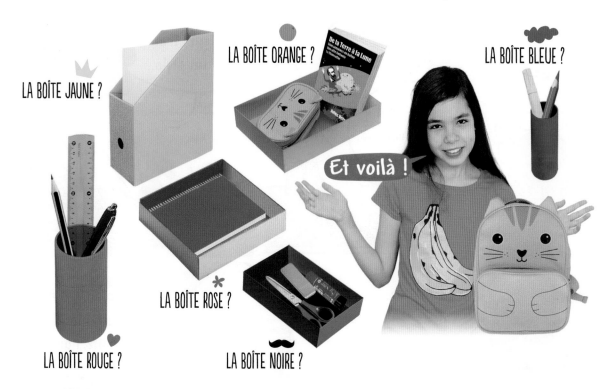

LA BOÎTE JAUNE ?

LA BOÎTE ORANGE ?

LA BOÎTE BLEUE ?

Et voilà !

LA BOÎTE ROSE ?

LA BOÎTE ROUGE ?

LA BOÎTE NOIRE ?

4 Compare avec la photo p. 22. Il y a tous les objets ?

5 Trouve sur la photo un objet…

VERT GRIS MARRON BLANC violet

 **LE SON [v] : voilà !**

🎧29 **1** Écoute et observe.

🎧30 **2** Écoute. Tu entends la même chose ?

🎧31 **3** Écoute. Qu'est-ce que tu mets dans la boîte verte [v] ? Et dans la boîte bleue [b] ?
avion   **b**âton de colle   **v**ache
vélo   ro**b**ot   li**v**re

🎧32 **4** Écoute et répète !
– Ça va… bien ?
– Ça va, ça va !

Leçon 3 Qu'est-ce que c'est ?

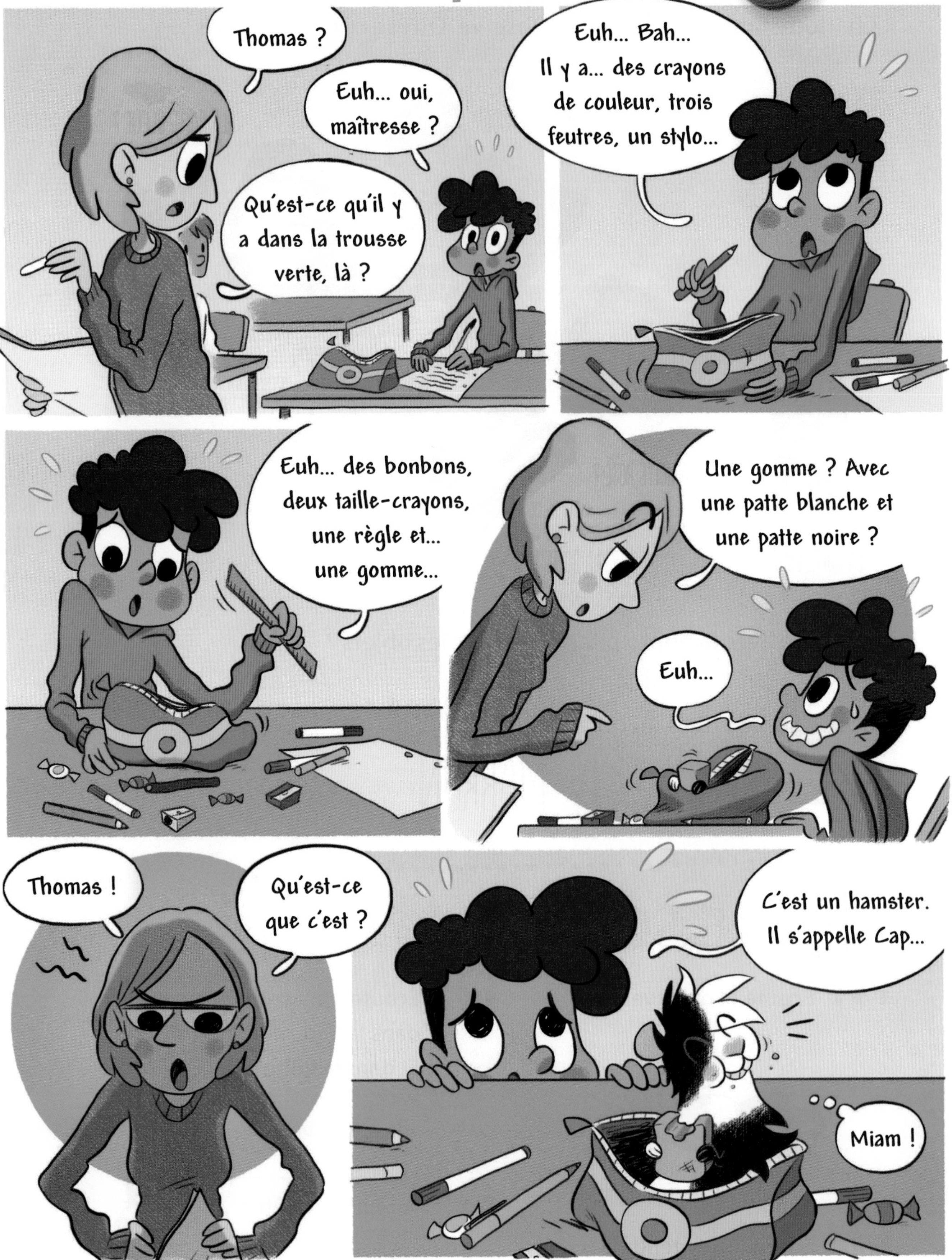

33 Écoute et lis la BD.

1 Réponds à la maîtresse de Thomas !
C'est une gomme ou un hamster ?

2 Qu'est-ce qu'il y a dans la trousse de Thomas ?

Il y a des crayons de couleur...

Il y a des crayons de couleur et des feutres...

Il y a des crayons de couleur, des feutres et un stylo...

|34| **Qu'est-ce que c'est ?**
C'est une gomme.
C'est un hamster.

|35| **Qu'est-ce qu'il y a dans la trousse ?**
Il y a...

un crayon	des crayons
une règle	des règles

|37| **De quelle couleur est...**

le crayon ?	la règle ?
Il est...	Elle est...
vert	verte
gris	grise
noir	noire
bleu	bleue
blanc	blanche
violet	violette
rouge	rouge
rose	rose
jaune	jaune
orange	orange
marron	marron

|36| **3** Écoute et observe la BD. Vrai ou faux ?
Exemple : – La trousse de Thomas est rouge.
– Faux ! Elle est verte !

4 Et sur ta table, qu'est-ce qu'il y a ?
Exemple : Il y a une gomme blanche.

Il est vert. / Elle est verte.
Tu entends bien
la différence ?

Leçon 4 Visite au musée

Piet Mondrian. *Grande composition en noir, rouge, gris, jaune et bleu. 1919-1920*

1 Observe le tableau de Mondrian et montre…
- ✔ un carré blanc ☐
- ✔ un rectangle bleu ▬
- ✔ un ligne noire ___

2 Est-ce qu'il y a deux formes identiques (forme et couleur) ?

3 Écoute et répète en rythme !

10	dix	15	quinze	20	vingt
11	onze	16	seize	21	vingt et un
12	douze	17	dix-sept	22	vingt-deux
13	treize	18	dix-huit	…	
14	quatorze	19	dix-neuf	30	trente

4 Observe le tableau et réponds !
- ✔ Il y a 17 ou 27 formes ?
- ✔ Il y a 26 ou 27 rectangles ?
- ✔ Il y a 15 ou 30 lignes noires ?

5 Lis le blog de la classe de Valentine.

6 Quelles couleurs tu vois sur le tableau ? Tu sais comment s'appellent ces 3 couleurs ?

- LES COULEURS PRIMAIRES
- LES COULEURS PRIMITIVES
- LES COULEURS ÉLÉMENTAIRES

BLOG DE LA CLASSE DE CM2 ●●●

SOUVENIR DE LA VISITE DU MUSÉE D'ART MODERNE
Publié par Maîtresse
23 commentaires

Des couleurs plein les yeux !
Piet Mondrian, *Composition avec rouge, jaune et bleu*, 1928

QUELLES **COULEURS PRIMAIRES** TU MÉLANGES POUR FAIRE DE L'**ORANGE** ? DU **VERT** ? DU **VIOLET** ?

LA PETITE FABRIQUE

C'est toi l'artiste !

1 Dessine les lettres de ton prénom sur une grande feuille.

2 Trace des lignes noires : horizontales et verticales.

3 Colorie les carrés et les rectangles, comme Mondrian.

Dans mon dessin il y a 5 couleurs : rouge, jaune, bleu, blanc et noir.
Il y a 19 carrés et 30 rectangles. Il y a 27 lignes noires !

Joue en français !

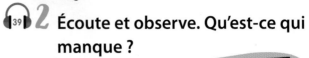

1 Trouve l'intrus !

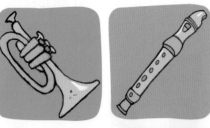

2 Écoute et observe. Qu'est-ce qui manque ?

3 Qu'est-ce qu'il y a dans la trousse de Léa ? Dis l'objet et la couleur.

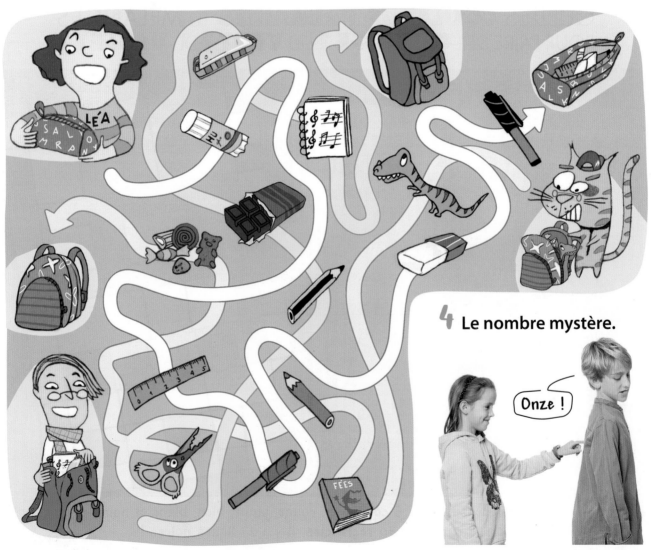

4 Le nombre mystère.

Onze !

Tes défis

Le MATÉRIEL SCOLAIRE

1 Qu'est-ce qu'il y a dans ta trousse ?

2 Choisis dans la classe 3 objets de couleurs différentes.

Les couleurs 2

[v] comme dans voilà !

3 Tu montres ton dessin. Prononce bien : « Et voilà ! »

POSER DES QUESTIONS ?

4 Pose des questions à tes camarades sur un objet.

COMPTER jusqu'à 30

5 Donne 5 nombres entre 10 et 30.

6 Fais un dessin avec des lignes. Utilise le rouge, le jaune, le bleu et le noir.

ARTS plastiques

À l'école en France

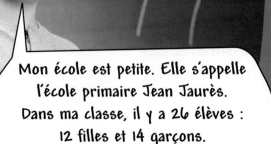

Mon école est petite. Elle s'appelle l'école primaire Jean Jaurès. Dans ma classe, il y a 26 élèves : 12 filles et 14 garçons. Ma maîtresse s'appelle Madame Marchand.

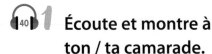 1 Écoute et montre à ton / ta camarade.

a le tableau
b la chaise
c la corbeille à papier
d la table

2 Écoute Rémi et lis la bulle.

3 À toi !

Ton école est petite ou **GRANDE** ?

Comment elle **s'appelle** ?

Compte les élèves de ta classe !
Nombre de filles ? Nombre de garçons ?

COMMENT S'APPELLE TON MAÎTRE OU TA MAÎTRESSE ?
C'EST MONSIEUR ... ?   OU MADAME ... ?

Et voilà une classe bien rangée !

Dans l'unité 3, tu vas...

- Nommer les jours, les mois et les saisons
- Parler d'animaux

- Prononcer [ʒ] comme dans **bonjour** !

- Dire la date
- Exprimer tes goûts

- Faire des sciences naturelles

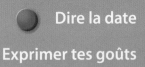

TÂCHE Faire une fiche sur ton animal préféré

RÉVISION Jouer en français !

ÉVALUATION

Leçon 1 La journée de la vie sauvage

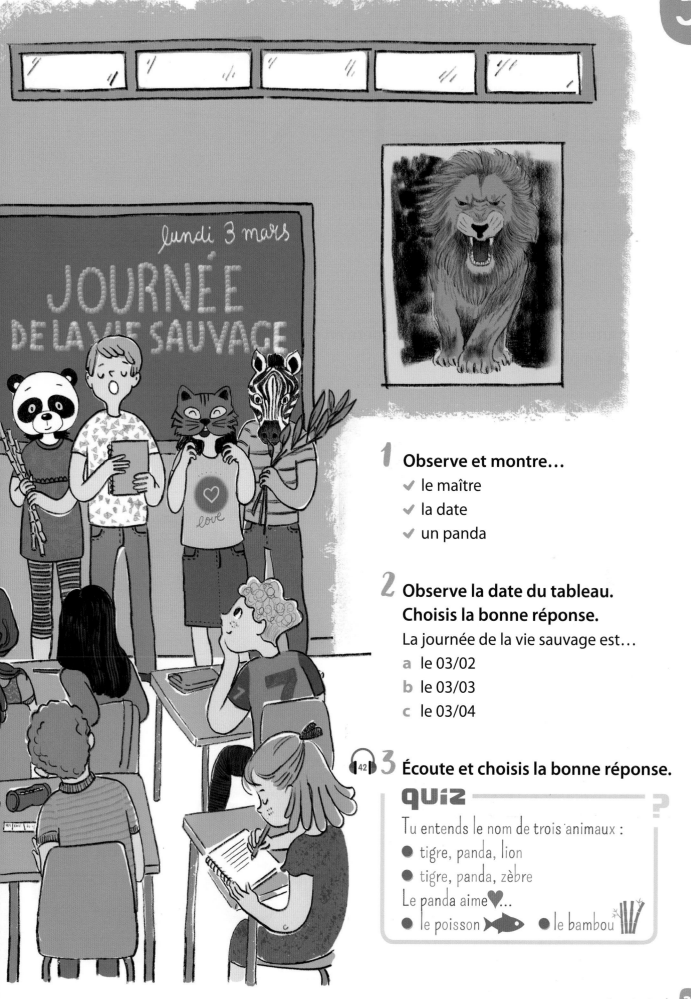

1 Observe et montre…

- ✔ le maître
- ✔ la date
- ✔ un panda

2 Observe la date du tableau. Choisis la bonne réponse.

La journée de la vie sauvage est…

- a le 03/02
- b le 03/03
- c le 03/04

3 Écoute et choisis la bonne réponse.

quiz ?

Tu entends le nom de trois animaux :

- tigre, panda, lion
- tigre, panda, zèbre

Le panda aime ♥…

- le poisson
- le bambou

Leçon 2 Mon calendrier

LUNDI · MARDI · MERCREDI · JEUDI · VENDREDI · SAMEDI · DIMANCHE

🎧 [43] **1** Écoute les jours de la semaine. Répète en chaîne avec tes camarades, de plus en plus vite.

🎧 [44] **2 CHANSON** Écoute et chante !

🎧 [45] **3 CHANSON** Écoute le nom des mois. Réécoute et chante !

4 Observe les mains. Quels mois ont 30 jours ? Quels mois ont 31 jours ? Et février ?

1 ❄ Janvier
2 ❤ FÉVRIER
3 · MARS
4 AVRIL 5 Mai 6 JUIN
8 ☀ AOÛT
7 JUILLET 9 🎒 septembre
10 🎃 OCTOBRE
11 🍂 novembre
12 ⛄ DÉCEMBRE

4 · 30   5 · 31   8 · 31   9 · 30
3 · 31   6 · 30   10 · 31
2 · 28 ou 29   7 · 31   11 · 30
1 · 31   12 · 31

🎧 46 **5** Observe et écoute le nom des saisons. Réécoute et répète.

6 Associe chaque date à une saison.

- ✔ Le 4 novembre.
- ✔ Le 17 juillet.
- ✔ Le 20 mai.
- ✔ Le 31 octobre.
- ✔ Le 25 décembre.
- ✔ Le 14 août.

> Le 4 novembre, c'est l'automne.

QUEL JOUR ON EST AUJOURD'HUI ?

C'EST QUELLE SAISON ?

AUJOURD'HUI, ON EST LE... ET C'EST LE/L'...

 **LE SON [ʒ] : bonjour !**

🎧 47 **1** Écoute et observe.

🎧 48 **2** Écoute. Tu entends la même chose ?

3 Trouve dans la page 5 mots avec « j ».

🎧 49 **4** Écoute et répète !

– Bonjour, bonjour !
– Quel jour ?

1 Observe la BD. C'est quand l'anniversaire d'Anaïs ?

2 L'anniversaire de Thomas, c'est le premier ou le deux mars ?

3 **jeu** Avant ou après ? Devine la date d'anniversaire de ton / ta camarade.

> **51** **C'est quand ton anniversaire ?**
> Mon anniversaire est en avril.
> C'est le 5 avril.

52 **4** Écoute Anaïs et observe.
Qu'est-ce qu'elle aime ?
Qu'est-ce qu'elle n'aime pas ?

Elle aime... les chiens ? le basket ? les chats ? la musique ? les oiseaux ?

53 **Qu'est-ce que tu aimes ?**
Qu'est-ce que tu n'aimes pas ?

J'aime
Tu aimes
Il / Elle aime

le judo.
l'hiver.
la danse.
les gâteaux.

Je n'aime pas
Tu n'aimes pas
Il / Elle n'aime pas

Elle n'aime pas... les peluches ? le vélo ? les bonbons ? le tennis ? les poissons rouges ?

Insiste bien sur **pas** !

ET TOI ? QU'EST-CE QUE TU AIMES ?
QU'EST-CE QUE TU N'AIMES PAS ?

Leçon 4 J'adore les animaux !

1 Écoute et répète !

LA GRENOUILLE

LE PERROQUET

L'AIGLE

LA SALAMANDRE

LE SAUMON

LE REQUIN

LE CHEVAL

LE RENARD

LE TIGRE

LE CROCODILE

2 Associe et dis le nom des animaux !

🎧 55 **3** **Observe les milieux naturels, puis écoute et réponds.**

Exemple : – Qui aime la rivière ? Le cheval ou la grenouille ?
– La grenouille !

LA RIVIÈRE

LA MER

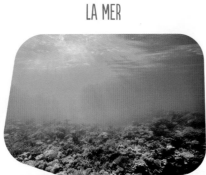

LA CAMPAGNE

LA MONTAGNE

LA FORÊT

LA PETITE FABRIQUE

Mon animal préféré

NOM : Salamandre
AIME : La rivière COULEURS : Noir et jaune
NOMBRE DE PATTES : 4

1 Dessine et colorie ton animal préféré.

2 Découpe le dessin.

3 Au dos du dessin, fais sa carte d'identité, selon le modèle.

4 Présente ton animal préféré à tes camarades.

Joue en français !

1 **jeu** Formez la date le plus vite possible !

Dimanche 29 avril !

2 Qu'est-ce que tu aimes ? Qu'est-ce que tu n'aimes pas ? Fais une petite affiche, comme dans l'exemple.

j'aime ♡	je n'aime pas
le bleu	le jaune
le dimanche	le mardi
l'été	l'automne
les chiens	les salamandres
le judo	le vélo
les chocolats	les peluches
les livres	la guitare
les jeux vidéo	

Présente ton affiche et note les goûts de tes camarades. Avec qui tu as au moins 4 goûts identiques ?

3 La classe fête ton anniversaire ! Dis la date et dis tes goûts. Tes camarades choisissent un cadeau à partir de tes goûts.

Ton cadeau, c'est un porte-photo !

Mon anniversaire, c'est le 12 juin. J'aime les animaux, les photos et les bonbons. Je n'aime pas les peluches.

Tes défis

LES SAISONS

1 Novembre, c'est quelle saison ?

LES ANIMAUX

2 Cite 2 animaux à 4 pattes.

[3] comme dans bonjour !

3 Tu arrives en classe et tu dis : « Bonjour ! Bonjour ! Aujourd'hui, quel jour on est ? »

DIRE LA DATE

4 Dis la date de ton anniversaire !

Exprimer tes goûts

5 Qu'est-ce que tu aimes ? Qu'est-ce que tu n'aimes pas ? Donne 2 exemples.

SCIENCES NATURELLES

6 C'est un animal. Il aime la mer. C'est… ?

Dans l'unité 4, tu vas...

Parler de ta famille

Prononcer [ɛ] comme dans **merci !**

Situer des personnes et des choses

Dire le temps qu'il fait

Faire de la géographie

LPF TÂCHE Fabriquer un arc-en-ciel en 3D

RÉVISION Jouer en français !

ÉVALUATION

Leçon 1 Ma cousine acrobate

ÉCOLE DU CIRQUE

OCÉAN
ATLANTIQUE

OCÉAN
PACIFIQUE

GUADELOUPE

1 Observe et montre…
- ✓ un téléphone
- ✓ un perroquet
- ✓ une acrobate

56 2 Écoute et montre qui parle.

57 3 Réécoute et choisis la bonne réponse.

quiz ?

En Guadeloupe…
- ● il fait chaud.
- ● il pleut.

La fille est…
- ● devant l'école du cirque.
- ● dans le gymnase.

Elle apprend…
- ● les acrobaties.
- ● la musique.

Leçon 2 Les deux familles du cirque

🎧 **58** **1** Écoute et observe.

2 Voici la famille Magicien. Dis qui est qui.

🎧 **59** **3** Complète les réponses aux devinettes. Écoute et vérifie !

C'est la fille de ma grand-mère. Qui c'est ?

Euh... C'est ta...

C'est le père de mon frère. Qui c'est ?

Hum... C'est ton...

🎧 **60** **Qui c'est ?**

C'est mon	frère.
C'est ton	
C'est son	

C'est ma	sœur.
C'est ta	
C'est sa	

4

61 · 4 Solène présente sa famille. Écoute et observe.

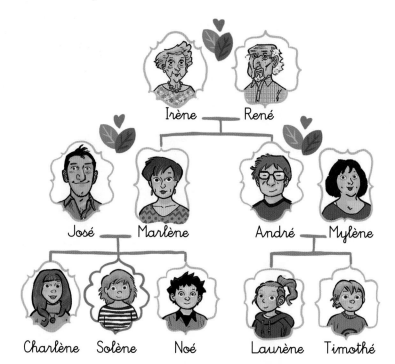

Voici ma famille. Mon grand-père s'appelle René et ma grand-mère Irène. J'ai un oncle, André, et une tante, Mylène. Mon oncle André est le frère de ma mère. J'ai un frère, Noé, et une sœur, Charlène. J'ai un cousin, il s'appelle Timothé, et une cousine, Laurène.

5 Réponds aux questions.

a Comment s'appelle l'oncle de Timothé ? Son oncle s'appelle...

b Comment s'appelle la mère de Solène ? Sa mère s'appelle...

c C'est le cousin de Noé. Qui c'est ? C'est...

d C'est la cousine de Charlène. Qui c'est ? C'est...

LE SON [ɛ] : merci !

62 · 1 Écoute et observe.

63 · 2 Écoute le nom des garçons. Ensuite, écoute le nom des filles.

64 · 3 Écoute. Tu entends le même son à la fin ?

65 · 4 Écoute et répète !

Mon père aime le vert et la forêt en hiver.

Leçon 3 · Où est la balle ?

[67] 1 Qui c'est ? Observe la BD, puis écoute et corrige les affirmations.

Exemple : – C'est la grand-mère de Thomas.
– Faux ! C'est sa sœur !

a   b   c   d

[68] 2 Écoute Cap, observe la BD et dis le numéro des vignettes.

Je suis sur la table.

Je suis à côté de Thomas.

Je suis sous la table.

Je suis entre le chapeau vert et le chapeau rouge.

[70] 3 Mets ces objets sur ta table, devant toi.

- ✔ un cahier
- ✔ une trousse
- ✔ un feutre
- ✔ une gomme
- ✔ une règle
- ✔ un crayon
- ✔ un stylo
- ✔ un livre

a) Écoute et place les objets.
b) Où est le feutre ? Où est la règle ?

[69] Où est le feutre ?
Il est...

dans le cahier sur le cahier sous le cahier

devant le livre derrière le livre

à côté de la règle à côté du stylo

entre la trousse et le livre

je suis
tu es
il / elle est

Écoute bien ! *Tu es. Il / Elle est.*
C'est la même prononciation !

DANS TA CLASSE, OÙ TU ES ?

JE SUIS DEVANT PABLO, DERRIÈRE MILA, À CÔTÉ DE...

APPORTE UNE PHOTO ET PRÉSENTE TA FAMILLE À TES CAMARADES !

DEVANT MOI, IL Y A MA SŒUR...

Quel temps il fait aujourd'hui ?

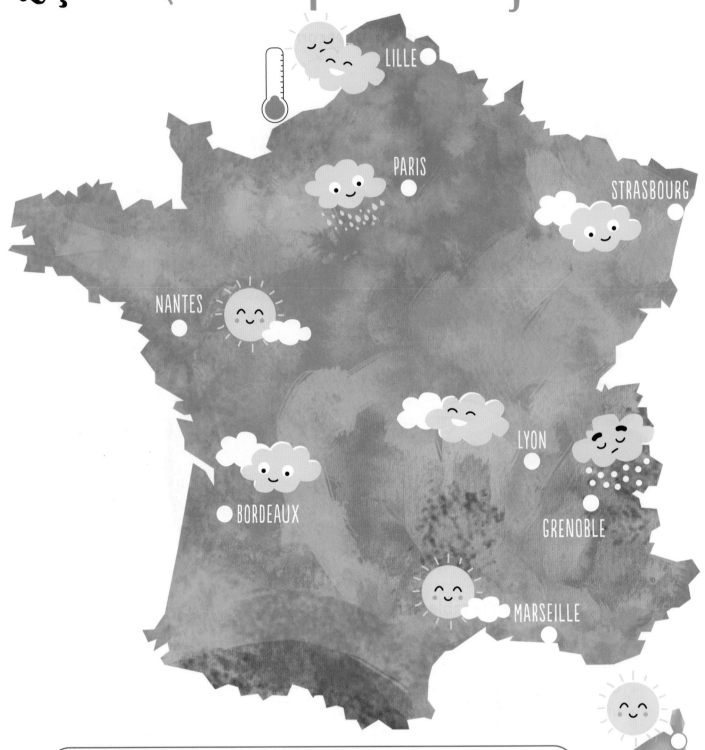

LILLE

PARIS

STRASBOURG

NANTES

LYON

BORDEAUX

GRENOBLE

MARSEILLE

BASTIA

Il fait beau.

Il y a du soleil.

Il neige.

Il fait chaud.
Il fait 22 degrés.

Il pleut.

Il y a des nuages.

Il fait froid.
Il fait 3 degrés.

🎧 **1** Observe la carte de France, puis écoute cette émission météo.

🎧 **2** Écoute et observe. Dans quelle ville est chaque enfant ?

a

b

c

LA PETITE FABRIQUE

Fabrique un arc-en-ciel en 3D !

Qu'est-ce qu'un arc-en ciel ?
C'est un demi-cercle de sept couleurs dans le ciel : rouge, orange, jaune, vert, bleu, indigo et violet.

Il pleut et le soleil brille.

Une goutte d'eau de pluie.

La lumière blanche du soleil.

1 Sur des feuilles cartonnées de couleur, découpez un grand soleil et un grand nuage.

2 Découpez une bande de chaque couleur de l'arc-en-ciel.

3 Sur une feuille bleu ciel, collez le soleil, le nuage et les bandes de couleur pour former un arc-en-ciel.

rouge
orange
jaune
vert
bleu
indigo
violet

ET CHEZ TOI ? QUEL TEMPS IL FAIT AUJOURD'HUI ?

Joue en français !

1 Laura nous parle de sa famille.
Lis le texte et retrouve le prénom de chaque personne sur la photo.

Voici ma famille. Devant moi, c'est mon grand-père. Il s'appelle Maxime. À côté de moi, il y a ma mère avec mon petit frère. Ma mère s'appelle Mathilde. Mon petit frère s'appelle Lucas, il a trois ans. À côté de mon grand-père, il y a ma grand-mère Clémence et derrière elle, il y a ma cousine Lisa. À côté de Lisa, il y a ma tante Amélie. Devant ma tante, il y a mon oncle Victor... et mon père ! Mon père est entre mon oncle Victor et ma grand-mère. Il s'appelle Michel.

2 Observe les deux images et cherche 5 différences.

3 Lance le dé et avance. Fais une phrase.
Exemple : Il y a / C'est une acrobate.

Tes défis

1 Dis comment s'appellent 3 personnes de ta famille.

2 Dis « merci » de 3 manières différentes.

[ɛ] comme dans **merci !**

3 Situe un objet dans la classe et donne 4 repères (à côté de, derrière…). Tes camarades devinent l'objet.

4 Quel temps il fait aujourd'hui ?

Dire le temps qu'il fait

5 Cite 5 villes de France.

GÉOGRAPHIE

JE PARLE FRANÇAIS, IL PARLE FRANÇAIS,

Je m'appelle Matthias.
Ma passion : les mangas !

 BELGIQUE
FRANCE
SUISSE

Je m'appelle Dylan.
Moi et mon frère,
on fait du hockey,
c'est génial !

QUÉBEC

GUADELOUPE

CÔTE D'IVOIRE

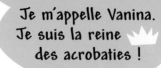

Je m'appelle Vanina.
Je suis la reine
des acrobaties !

1 **Observe et montre. Qui aime…**
a le hockey ?
b les tortues ?
c les mangas ?
d les acrobaties ?
e la montagne ?
f les arts plastiques ?
g la mer ?

ELLE PARLE FRANÇAIS !

Je m'appelle Clément.
J'adore la nature
et la montagne !

Je m'appelle Iloé.
J'adore la mer. Ici, il
fait beau toute l'année !

Je m'appelle Wilfried.
À l'école, j'adore les
arts plastiques !

ÎLE DE LA RÉUNION

NOUVELLE-CALÉDONIE

Je m'appelle Maeva.
J'adore les tortues !

QUAND
J'APPRENDS
UNE LANGUE,
JE DÉCOUVRE
LE MONDE !

Leçon 1 **Dans le petit train**

Dans l'unité 5, tu vas...

Nommer les parties du corps

Parler des moyens de transport

Prononcer [ʃ] comme dans chapeau !

Décrire une personne

Faire de l'histoire

 TÂCHE Créer ton super-héros ou ta super-héroïne

RÉVISION Jouer en français !

ÉVALUATION

1 Observe et montre…
- ✓ un chapeau noir
- ✓ le conducteur du train
- ✓ des frères jumeaux

74 2 Écoute. Comment s'appelle le frère de Lucas Martin ?

75 3 Réécoute et choisis la bonne réponse.

quiz

Le frère de Lucas est…
- petit.
- grand.

Il a des lunettes…
- vertes.
- bleues.

Il est à côté…
- de son frère.
- du conducteur.

Leçon 2 Des pieds à la tête !

76 **1** Écoute et observe les parties du corps.
Ensuite, réécoute et répète les mots.

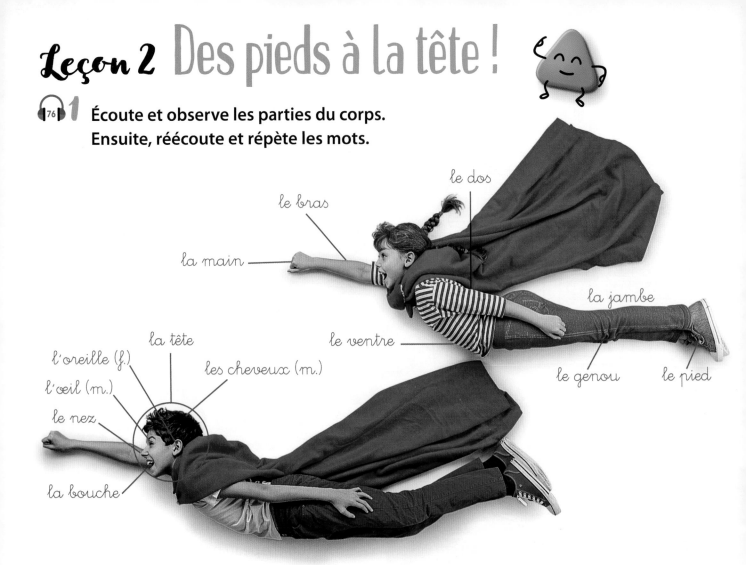

le dos
le bras
la main
la jambe
le ventre
la jambe
la tête
les cheveux (m.)
l'oreille (f.)
l'œil (m.)
le nez
le genou
le pied
la bouche

77 **2** Qu'est-ce qu'elle a ? Qu'est-ce qu'il a ? Complète. Ensuite, écoute et vérifie !

J'ai deux ★, deux ★, deux ★, deux ★, deux ★, un dos et un ★.

J'ai une ★, deux ★, deux ★, un ★, une ★, et 100 000 ★ !

Attention !
le bras → les bras
le genou → les genoux
l'œil → les yeux

🎧 **3** Jumeaux et jumelles. Observe et écoute. Qui c'est ?

4 **jeu** À toi ! Choisis un jumeau ou une jumelle de l'activité 3. Ton / ta camarade te pose des questions et devine.

Exemple : – C'est un garçon ou une fille ?
– Un garçon !
– Il a les cheveux roux ?
– Oui !
– Il a des lunettes ?…

5 Décris un(e) camarade. Les autres devinent !

LE SON [ʃ] : chapeau !

🎧 **1** Écoute et observe.

🎧 **2** Écoute et lève la main si tu entends le son [ʃ].

3 Trouve dans ces pages 3 mots avec « ch ».

🎧 **4** Écoute et répète !

Un chapeau sur les cheveux... C'est chic et c'est chaud !

Leçon 3 Il est super !

🎧 82 Écoute et lis la BD.

1 Décris les personnages de la BD.

Le gentil

a) Il est petit / grand.
b) Il est brun / roux / blond.
c) Il a les cheveux longs / courts.

🎧 83 **Comment il / elle est ? (1)**

Il est		Elle est	
	petit.		petite.
	grand.		grande.
	blond.		blonde.
	brun.		brune.
	roux.		rousse.

Le méchant

a) Il est petit / grand.
b) Il est brun / roux / blond.
c) Il a les cheveux longs / courts.

Écoute bien !
Il est petit. Elle est petite.
Qu'est-ce que tu remarques ?

la super-héroïne

a) Elle est petite / grande.
b) Elle est brune / rousse / blonde.
c) Elle a les cheveux longs / courts.

🎧 84 **Comment il / elle est ? (2)**

Il a Elle a	
	des petits / grands pieds.
	des petites / grandes mains.
	les cheveux courts / longs.
	les yeux bleus / verts.

2 Pose des devinettes à ton / ta camarade à partir de ces mots.

des lunettes — grand — blonde

les yeux rouges — petit

des jambes supersoniques

Qui a des lunettes ? — Le gentil !

Écoute bien !
Il a un grand pied.
Il a des grands pieds.
Qu'est-ce qui est différent ?

ET TOI ? COMMENT TU ES ?

JE SUIS... J'AI...

3 Décris Thomas, Anaïs et Cap.

Leçon 4 L'évolution des transports

1 Écoute et observe.

L'AVION

LE TRAMWAY

LE BATEAU

LE BUS

LE VÉLO

LA TROTTINETTE

2 Quels moyens de transport sont écologiques ?

3 Observe ces moyens de transport du passé. Associe chacun à un véhicule d'aujourd'hui !

a

b

c

d

LA FUSÉE

LE TRAIN

LE CAMION

LA VOITURE ÉLECTRIQUE

LA VOITURE

LA MOTO

LA PETITE FABRIQUE

Crée un super-héros ou une super-héroïne !

1 Imagine un super-héros ou une super-héroïne.

COMMENT IL / ELLE EST ?   QUEL EST SON SUPER-POUVOIR ?

2 Imagine le moyen de transport qui lui convient.

3 Dessine ton personnage à côté de son véhicule.

4 Présente ton personnage à tes camarades !

Mon super-héros est grand. Il a les cheveux longs et rouges. Il a un super-pouvoir : il a des yeux lasers ! Il a une fusée supersonique.

Joue en français !

1 **jeu** Choisis un personnage. Décris-le. Tes camarades le retrouvent.

2 Observe. Quelle partie du corps est cachée ?

a la bouche **b** les cheveux   **a** les genoux **b** les mains   **a** la main droite **b** le pied droit

a les oreilles **b** la bouche   **a** les yeux **b** le nez   **a** le ventre **b** les pieds

Tes défis

LES PARTIES DU CORPS

1 Cite 3 parties du corps qui vont par deux.

LES MOYENS DE TRANSPORT

2 Cite 2 moyens de transport que tu utilises.

[ʃ] comme dans **chapeau !**

3 Tu demandes le silence. « Chut ! »

4 Décris un personnage du livre. Les autres devinent !

Décrire une personne

5 Remets dans l'ordre chronologique : l'avion • le bateau • la fusée spatiale • la voiture

HISTOIRE

Unité 6

 Dans l'unité 6, tu vas...

Parler de vêtements

Prononcer [y] comme dans zut !

Parler de tes activités sportives
Donner des ordres

Faire du sport

 TÂCHE Faire la fiche de ton sportif / ta sportive préféré(e)

 RÉVISION Jouer en français !

ÉVALUATION

Leçon 1 Vive le sport !

1 Observe et montre…
- ✔ les joueurs de basket
- ✔ l'équipe d'athlétisme
- ✔ l'entraîneur

🎧 **2** Écoute les 2 situations et montre qui parle.

🎧 **3** Réécoute et choisis la bonne réponse.

quiz ?

L'action se passe…
- ● dans un jardin.
- ● dans un centre sportif.
- ● dans un stade de foot.

Qui gagne ? L'équipe de basket…
- ● bleue.
- ● rouge.

Le coureur cherche…
- ● son tee-shirt.
- ● son pantalon.

1 un blouson
2 un pull
3 une chemise ✓
4 un tee-shirt ✓
5 une robe ✓
6 une jupe ✓
7 un pantalon
8 un jean ✓
9 un pyjama ✓
10 des chaussettes (f.) ✓
11 des chaussures (f.)
12 des baskets (f.) ✓
13 des bottes (f.)
14 un bonnet
15 une casquette ✓
16 un chapeau ✓
17 une écharpe
18 des lunettes de
    soleil (f.) ✓
19 un maillot de bain ✓

🎧 88 **1** Écoute et montre.

🎧 89 **2** Écoute. Que prend Mila pour ses vacances à la plage ? Répète le mot et dis oui ou non !

6

3 Lis une description. Ton / ta camarade devine qui c'est !

Célia

Adel

a Il porte une chemise, un bonnet, un jean et des baskets.

b Il porte un blouson, un tee-shirt, un pantalon, des baskets et des lunettes.

Romane

c Elle porte un pull, un chapeau, un pantalon, des chaussettes blanches et des chaussures.

d Elle porte une jupe, des bottes, un pull et une écharpe.

William

ET TOI ? QU'EST-CE QUE TU PORTES AUJOURD'HUI ?

JE PORTE...

LE SON [y] : zut !

🎧**90 1** Écoute et observe.

🎧**92 3** Écoute et observe. Qu'est-ce que tu mets dans la boîte verte [y] ? Et dans la boîte bleue [u] ?

chaussures	jupe	cou	bouche
blouson	pull	lunettes	chut !

🎧**93 4** (Écoute et répète !)

Zut, zut et zut !
Les lunettes de
Lulu sont tordues !

🎧**91 2** Écoute et lève la main si tu entends le son [y].

Leçon 3 Tu fais du sport ?

Salut ! Ça va, tes vacances ?

Ouais, super ! Je suis à la montagne !

Je fais du vélo...

Je fais de l'escalade !

C'est génial ! Et toi ? Tu fais du sport ?

Ah oui... Comme toi, je n'arrête pas !

Je fais de la musculation...

Regarde, ma casquette !

Je fais de la course à pied...

Saute !

Avance !

Et je fais de l'équitation !

C'est sportif, la plage !

🎧 94 Écoute et lis la BD.

1 Observe la BD. Quels sports fait Anaïs ? Et Thomas (à sa manière) ?

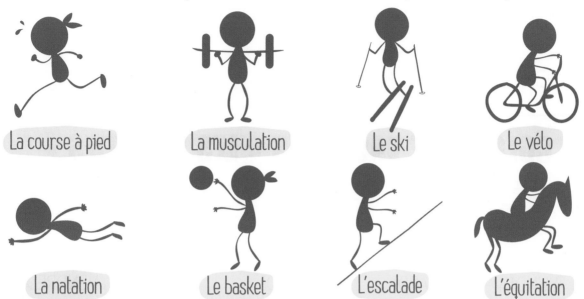

La course à pied — La musculation — Le ski — Le vélo

La natation — Le basket — L'escalade — L'équitation

2 Qu'est-ce qu'il fait ?

Quel sport tu fais ?
Je fais du vélo.
Tu fais de la natation.
Il / Elle fait de l'escalade.

ET TOI, QUEL(S) SPORT(S) TU FAIS ?
JE FAIS DU / DE LA / DE L'...

Donne des ordres !
Regarde !
Saute !
Lance !

3 Écoute et associe chaque ordre à une vignette de la BD.

4 Écoute et lève la main si tu entends un ordre.

Observe :
Tu regardes → Regarde !

Leçon 4 Les colonies de vacances

Les vacances arrivent ! Tu aimes faire du sport ?
La colonie de vacances « Les Sportifs » est pour toi !

PROGRAMME D'ACTIVITÉS

COLONIE DE VACANCES « LES SPORTIFS »

MATIN

LUNDI	MARDI	MERCREDI	JEUDI	VENDREDI
Équitation ou tennis	Escalade ou VTT	Équitation ou tennis	Escalade ou VTT	Équitation ou tennis

APRÈS-MIDI
Natation et football

SAMEDI ET DIMANCHE
Excursions et randonnées

---

1 **Observe le document. C'est…**

✓ le programme des activités de l'école.

✓ le programme d'une colonie de vacances.

✓ le programme d'un club d'activités extra-scolaires.

🎧 99 2 Il y a des activités différentes pour les jours de la semaine. Lis les bulles et devine : qu'est-ce qu'il / elle fait cette semaine ? Ensuite, écoute et vérifie.

Exemple : Lundi, mercredi et vendredi, Claire fait de l'équitation.
Mardi et jeudi, elle fait de l'escalade.

> Je m'appelle Claire. J'aime les animaux. Et j'adore Spiderman !

> Je m'appelle Manuel. J'ai le vertige... Et j'aime le tennis.

> Je m'appelle Lucas. Je suis fan de Rafael Nadal. J'adore escalader ! Les murs, les montagnes...

> Je m'appelle Sandra. J'adore les chevaux et le vélo !

LA PETITE FABRIQUE

1 Qui est ton sportif ou ta sportive préféré(e) ? Pourquoi ?

2 Fais sa fiche d'identité.

3 Présente ton sportif / ta sportive à tes camarades.

Mon sportif / Ma sportive préféré(e)

Nom : Le Fur   Prénom : Marie-Amélie
Date de naissance : 26 septembre 1988
Née : à Vendôme (Loir-et-Cher), France
Sport pratiqué : Athlétisme handisport
Médailles aux Jeux Paralympiques : 2 médailles d'argent
à Pékin, 3 à Londres et 3 à Rio

Joue en français !

🎧 **1** Écoute. Tu portes ce vêtement ? Lève-toi !

> Un tee-shirt rouge !

2 Fais la chaîne avec tes camarades. Tu pars en vacances ! Qu'est-ce que tu prends ?

> Je prends un pantalon...

> Je prends un pantalon et des chaussettes...

> Je prends un pantalon, des chaussettes et des lunettes...

3 Qu'est-ce qu'il / elle fait ?

a

b

c

d

e

f

Tes défis

LES VÊTEMENTS

1 Décris les vêtements d'un(e) camarade. Les autres devinent !

2 Tes lunettes tombent… Elles sont tordues ! Tu dis : « Zut, zut et zut ! »

[y] comme dans **zut !**

Parler de tes activités sportives

3 Quels sports tu fais pendant les vacances ?

DONNER DES ORDRES

4 Donne 3 ordres à ton voisin / ta voisine.

5 Quel est ton sportif / ta sportive préféré(e) ? Qu'est-ce qu'il / elle fait ?

SPORT

LE TOUR DE FRANCE DES

La Vendée est le paradis de la voile... Tu connais le Vendée Globe ? Les participants font le tour du monde en voilier !

Biarritz est la ville préférée des surfeurs. Il y a des vagues géantes.

Dans les Alpes, tu peux faire du ski à 3 600 mètres d'altitude !

Les Vosges, c'est génial en VTT !

Les fans d'escalade adorent le Massif central.

1 Lis, puis retrouve les lieux sur la carte de France.

2 Devinettes ! C'est quel sport ?

a C'est un sport avec un cheval.

b C'est un sport sur la neige.

c Pour ce sport, n'oublie pas tes chaussures de marche, ta casquette et des lunettes de soleil !

SPORTS

Courses hippiques, polo... Deauville est la capitale de l'équitation !

Dans les Pyrénées, tu peux aller en Espagne par les chemins de randonnée !

J'aime la nature = Je respecte la nature !

BELGIQUE
ALLEMAGNE
LUXEMBOURG
Deauville
Les Vosges
Les Alpes
SUISSE
La Vendée
Le Massif central
ITALIE
Biarritz
Les Pyrénées
ESPAGNE
ANDORRE

OÙ TU PRÉFÈRES ALLER ?

Transcriptions

Dialogues des leçons 1

🎧 ▎16▏ Les Juniors en concert ! (Unité 1 • Page 11)

🎧 ▎26▏ Robot ou pirate ? (Unité 2 • Page 21)

🎧 La journée de la vie sauvage (Unité 3 • Page 33)

🎧 Ma cousine acrobate (Unité 4 • Page 43)

Transcriptions

74 Dans le petit train (Unité 5 • Page 55)

86 Vive le sport ! (Unité 6 • Page 65)

Activités

On trouvera ici les transcriptions des activités dont le texte ne figure pas dans les unités (excepté les activités de phonétique).

Unité 1 • Page 18, activité 2
Elle s'appelle Marie. Elle a 7 ans.

Unité 2 • Page 25, activité 3
a) La trousse de Thomas est rouge.
b) Le taille-crayon de Thomas est bleu.
c) Cap le hamster est blanc et noir.
d) La règle de Thomas est violette.
e) La gomme de Thomas est blanche.

Unité 2 • Page 28, activité 2
Dans la boîte, il y a des ciseaux, un livre, un stylo, un cahier, un bâton de colle et un crayon de couleur !

Unité 3 • Page 37, activité 4
J'aime les chats et le basket !
Je n'aime pas les peluches !

Unité 3 • Page 39, activité 3
a) Qui aime la rivière ? Le cheval ou la grenouille ?
b) Qui aime la mer ? Le requin ou le renard ?
c) Qui aime la campagne ? Le cheval ou le requin ?
d) Qui aime la montagne ? L'aigle ou la grenouille ?
e) Qui aime la forêt ? Le requin ou le renard ?

Unité 4 • Page 44, activité 1
Dans la famille acrobate, il y a le grand-père, la grand-mère, le père, la mère, le fils et la fille.

Unité 4 • Page 44, activité 3
a) – C'est la fille de ma grand-mère. Qui c'est ?
   – Euh… C'est ta… c'est ta mère !
b) – C'est le père de mon frère. Qui c'est ?
   – Hum… C'est ton… c'est ton père !

Unité 4 • Page 47, activité 1
a) C'est la grand-mère de Thomas.
b) C'est le père de Thomas.
c) C'est le frère de Thomas.
d) C'est la sœur de Thomas.

Unité 4 • Page 47, activité 3 a)
Mets le crayon entre le feutre et la règle.
Mets le cahier derrière la règle.
Mets la trousse sur le cahier.
Mets le stylo dans la trousse.
Mets la gomme sous la règle.
Mets le livre devant le crayon.

Unité 4 • Page 49, activité 1
Voici le temps en France aujourd'hui. Il fait beau à Nantes et à Marseille. À Bastia, il y a du soleil et il fait chaud : 22 degrés ! Il y a des nuages à Lyon, à Bordeaux et à Strasbourg. Il fait froid à Lille ! Il fait 3 degrés. Il pleut à Paris. Il neige à Grenoble !

Unité 4 • Page 49, activité 2
a) Aujourd'hui, il y a des nuages, il pleut.
b) Aujourd'hui, il fait froid, il neige.
c) Aujourd'hui, il y a du soleil et il fait chaud.

Unité 5 • Page 56, activité 2
J'ai deux bras, deux mains, deux jambes, deux genoux, deux pieds, un dos et un ventre.
J'ai une tête, deux yeux, deux oreilles, un nez, une bouche et 100 000 cheveux !

Unité 5 • Page 57, activité 3
a) Elle a les cheveux bruns et longs.
b) Il a les cheveux blonds et courts.
c) Il a les cheveux roux et courts. Il a des lunettes.

Unité 6 • Page 69, activité 3
a) Avance ! b) Regarde ! c) Saute !

Unité 6 • Page 69, activité 4
a) Tu regardes le livre. b) Lance le ballon !
c) Avance ! d) Il regarde le ballon. e) Tu sautes ?
f) Il lance le ballon. g) Saute ! h) J'avance !

Unité 6 • Page 71, activité 2
a) Je m'appelle Claire. J'aime les animaux. Et j'adore Spiderman ! Lundi, mercredi et vendredi, je fais de l'équitation. Mardi et jeudi, je fais de l'escalade.
b) Je m'appelle Manuel. J'ai le vertige… Et j'aime le tennis. Lundi, mercredi et vendredi, je fais du tennis. Mardi et jeudi, je fais du VTT.
c) Je m'appelle Lucas. Je suis fan de Rafael Nadal. J'adore escalader ! Les murs, les montagnes… Lundi, mercredi et vendredi, je fais du tennis. Mardi et jeudi, je fais de l'escalade.
d) Je m'appelle Sandra. J'adore les chevaux et le vélo ! Lundi, mercredi et vendredi, je fais de l'équitation. Mardi et jeudi, je fais du VTT.

Unité 6 • Page 72, activité 1
Un tee-shirt rouge ! • Un jean bleu ! • Une jupe rose ! • Un tee-shirt noir ! • Une robe verte ! • Des chaussettes noires ! • Des chaussettes rouges ! • Un chapeau ! • Des lunettes ! • Des baskets ! • Un pull violet ! • Un pull jaune ! • Une chemise ! • Une écharpe !

Résumé grammatical

Les nombres

un	deux	trois	quatre	cinq	six	sept	huit	neuf	dix

onze	douze	treize	quatorze	quinze	seize	dix-sept	dix-huit	dix-neuf	vingt

vingt et un	vingt-deux	vingt-trois	vingt-quatre	vingt-cinq	vingt-six	vingt-sept	vingt-huit	vingt-neuf	trente

Les déterminants

Les articles définis

le livre
la guitare
l'accordéon

les livres
les guitares
les accordéons

le + voyelle ou *h* ⟶ l'
la + voyelle ou *h* ⟶ l'

Au pluriel, devant une voyelle ou un *h*, fais la liaison 🐝 zzz

Les articles indéfinis

un crayon
une gomme

des crayons
des gommes

Et des‿avions !

Les adjectifs possessifs

mon frère
ton frère
son frère

ma sœur
ta sœur
sa sœur

mes frères
tes frères
ses frères

mes sœurs
tes sœurs
ses sœurs

Et aussi... mes‿oncles !

Le masculin et le féminin des adjectifs

Il est...

grand
petit
vert

Elle est...

grande
petite
verte

GRAND
d
GRANDE
PETIT
PETITE

Il est...

rouge
jaune
rose

Elle est...

rouge
jaune
rose

Il est...

roux
long
blanc

Elle est...

rousse
longue
blanche

On entend la même chose !

C'est très différent !

Le pluriel des noms et des adjectifs

Il a **un** grand pied.
Il a **un** pied énorme !
Il porte **une** chaussette grise.

Il a **des** grands pieds.
Il a **des** pieds énormes !
Il porte **des** chaussettes grises.

Oh ! Tu as un grand pied !

Ha ha ha ! Je n'ai pas UN grand pied ! J'ai DES grands pieds !

Oui... Et des grandes « zzz » oreilles aussi !

Attention !

un œil ⟶ des‿yeux

Le présent des verbes

parler

je	parle
tu	parles
il / elle	parle

aimer

j'	aime
tu	aimes
il / elle	aime

s'appeler

je	m'appelle
tu	t' appelles
il / elle	s' appelle

être

je	suis
tu	es
il / elle	est

avoir

j'	ai
tu	as
il / elle	a

faire

je	fais
tu	fais
il / elle	fait

N'oublie pas les pronoms ! À l'oral, c'est souvent la seule différence entre les personnes !

L'impératif

Regarde !
Saute !

Pas de pronom devant ! Facile à reconnaître avec l'intonation !

La forme négative

Je parle.
J'aime l'hiver.

Je **ne** parle **PAS**.
Je **n'**aime **PAS** l'hiver.

Mon dico

 le maître

 la maîtresse

 le tableau

 une chaise

 une table

 une corbeille à papier

 un crayon

 un crayon de couleur

 un stylo

 un feutre

 une gomme

 un taille-crayon

 des ciseaux (m.)

 un bâton de colle

 une règle

 une trousse

 un cahier

 une feuille de papier

 un classeur

 un livre

 une boîte

un sac à dos

LES COULEURS

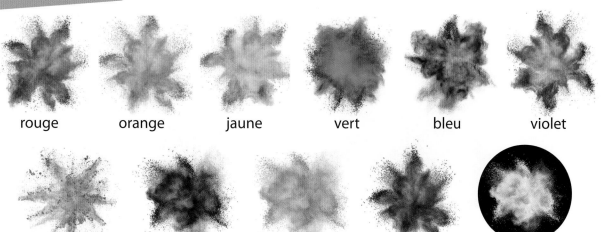

rouge   orange   jaune   vert   bleu   violet

rose   noir   gris   marron   blanc

Mon dico

LUNDI MARDI MERCREDI JEUDI VENDREDI SAMEDI DIMANCHE

1 Janvier
2 FÉVRIER
3 MARS
4 AVRIL
5 MAI
6 JUIN
7 JUILLET
8 AOÛT
9 septembre
10 OCTObre
11 NOVEMBRE
12 DÉCEMBRE

LES SAISONS

le printemps

l'été

l'automne

l'hiver

quatre-vingt-quatre

LA FAMILLE

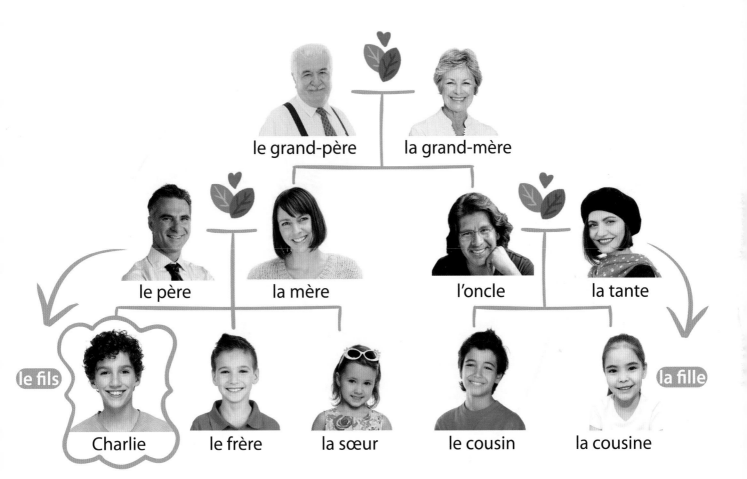

le grand-père   la grand-mère

le père   la mère   l'oncle   la tante

le fils   la fille

Charlie   le frère   la sœur   le cousin   la cousine

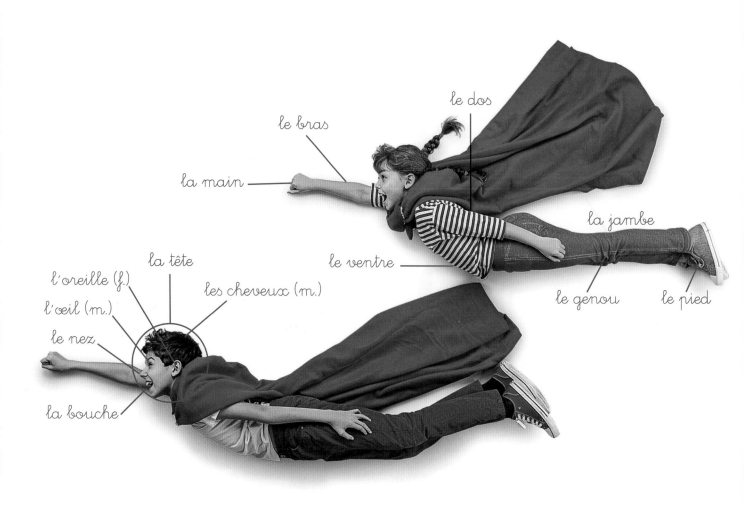

le dos

le bras

la main

la tête

l'oreille (f.)

les cheveux (m.)

l'œil (m.)

le nez

le ventre

la jambe

le genou   le pied

la bouche

les cheveux
bruns

les cheveux
roux

les cheveux
blonds

les cheveux
courts

les cheveux
longs

LES VÊTEMENTS

un blouson   un pull   une chemise   un tee-shirt

une robe   une jupe   un pantalon   un jean

un pyjama   une chaussette   une chaussure   une basket

une botte   un bonnet   une casquette   un chapeau

une écharpe   des lunettes de soleil (f.)   un maillot de bain

Mon dico

LA MUSIQUE

une chanson

un piano

une guitare

une batterie

une trompette

une flûte

un harmonica

un accordéon

LES ARTS PLASTIQUES

la peinture

un tableau

un musée

un carré

un rectangle

une ligne

LES ANIMAUX ET LA NATURE

l'aigle

le chat

le cheval

le chien

le crocodile

la grenouille

le hamster

le perroquet

le renard

le requin

la salamandre

le saumon

le tigre

la rivière

la mer

la campagne

la montagne

la forêt

Mon dico

LE TEMPS ATMOSPHÉRIQUE

le soleil

un nuage

le ciel

un arc-en-ciel

Il pleut.

Il neige.

Il fait beau.

Il fait chaud.

Il fait froid.

Il fait 2 degrés.

LES MOYENS DE TRANSPORT

une voiture

une moto

un vélo

une trottinette

un camion

un bus

un tramway

un train

un bateau

un avion

une fusée

LES SPORTS

le basket

la course à pied

la danse

l'équitation

l'escalade

le football

le judo

la musculation

la natation

le ski

le tennis

le vélo

le volley

Coordination éditoriale : Audrey Adida et Elena Moreno

Édition : Alice Sionneau

Couverture : Primo&Primo

Adaptation de la maquette intérieure : Christelle Daubignard

Illustrations : Màriam Ben-Arab, Esther Burgeño Vigil, Idoia Iribertegui, Alex Orbe, Zoográfico, Élise Catros

Iconographe : Maria Mora Fontanilla

PAPIER À BASE DE FIBRES CERTIFIÉES

éditions didier s'engagent pour l'environnement en réduisant l'empreinte carbone de leurs livres. Celle de cet exemplaire est de :

750 g éq. CO_2
Rendez-vous sur www.editionsdidier-durable.fr

© Santillana Educación, S.L. pour l'œuvre originale
© Les Éditions Didier, Paris 2021
ISBN : 978-2-278-09550-6
Achevé d'imprimé en Espagne par Macrolibros (Valladolid) en janvier 2021
Dépôt légal : 9550/01